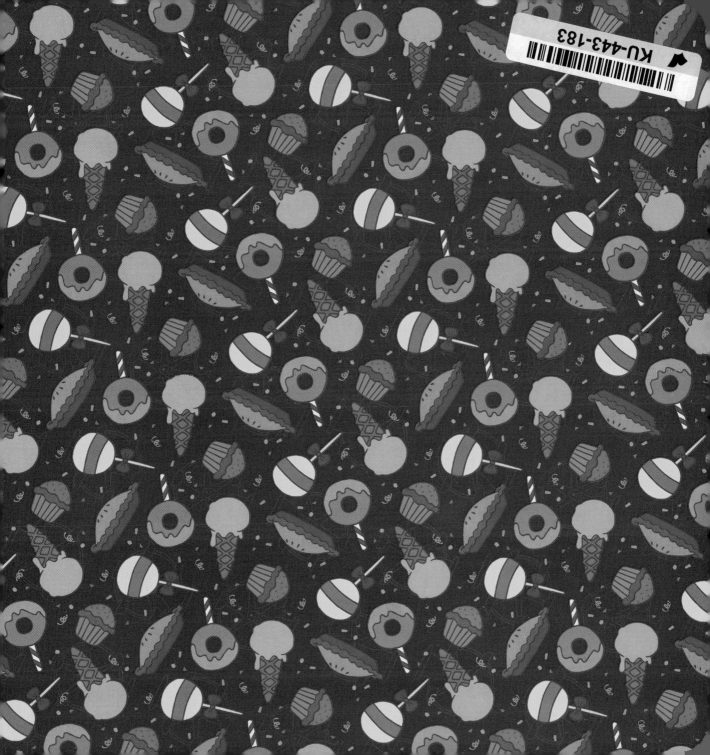

Disney
Pinocchio

Disney
HACHETTE ÉDITION

La Fée Bleue

Geppetto

Pinocchio

Jiminy Criquet

Figaro

Cléo

Grand Coquin et Gédéon

Un mauvais garçon

Stromboli

Le cocher

Monstro la baleine

À la recherche d'un endroit où passer la nuit, Jiminy Criquet se dirige vers la seule maison encore éclairée d'un petit village. Il se pose sur le rebord de la fenêtre et aperçoit un sculpteur en plein travail.

—Et maintenant, la touche finale! annonce Geppetto en dessinant un joli sourire sur le visage du pantin qu'il vient de fabriquer.

Puis il se tourne vers son chat, Figaro, et Cléo, son poisson.

—Je vous présente votre nouvel ami, il s'appelle Pinocchio.

Geppetto est si heureux qu'il met en marche quelques boîtes à musique et fait danser sa marionnette.

—Oh! mais il est très tard! dit-il tout à coup.

Avant de se coucher, le sculpteur aperçoit l'Étoile des vœux qui brille dans le ciel. Il se prend à rêver:

—Si seulement mon pantin pouvait devenir un petit garçon!

 Le calme revenu, Jiminy cherche un coin pour
dormir lorsqu'une douce lumière inonde la pièce,
faisant apparaître la Fée Bleue.
—Petit pantin de bois, dit-elle en posant sa baguette
magique sur la marionnette, je te fais don de la vie !
—Oh ! Je bouge ! s'émerveille aussitôt Pinocchio. Et je parle !
—Pour devenir un vrai petit garçon, ajoute la Fée Bleue.
tu devras te montrer courageux, sincère et généreux.
Puis elle s'adresse à Jiminy qui ouvre de grands yeux.
—Pinocchio doit apprendre à distinguer le bien du mal.
Accepterais-tu d'être sa conscience ?
—Euh… J'en serais très honoré ! balbutie Jiminy.
D'un coup de baguette magique, la Fée habille le criquet
de pied en cap, puis elle disparaît aussi subitement
qu'elle est apparue.

 Le lendemain matin, Geppetto descend dans son atelier et découvre avec stupeur le miracle.

—Mon vœu a été exaucé! se réjouit-il en portant le petit garçon à bout de bras.

Comme tous les enfants, Pinocchio va devoir apprendre à lire et à écrire. Mais alors qu'il part pour sa première journée d'école, il rencontre deux canailles.

—Hé, Gédéon, regarde! chuchote le plus grand. Tu as déjà vu une marionnette sans fils? On va le vendre à Stromboli pour son spectacle. À nous la fortune!

Grand Coquin s'approche du pantin et lui demande:

—Où vas-tu d'un pas si pressé?

—À l'école, répond fièrement Pinocchio.

—On connaît un endroit bien plus amusant, déclare Grand Coquin. Viens donc avec nous.

 Stromboli est si enthousiaste qu'il demande à Pinocchio de monter sur scène.

Amusé par ce nouveau jeu, le pantin enchaîne cabriole sur cabriole. Les spectateurs le trouvent tellement drôle qu'ils jettent des pièces à ses pieds.

—Bravo Pinocchio! s'exclame Stromboli, à la fin du spectacle. Tu as été sensationnel.

—Je vais de ce pas le dire à mon papa! dit le petit pantin.

—Pas question! Tu restes ici, gronde subitement le gros homme. Grâce à toi, je vais devenir très riche!

Le pauvre Pinocchio se retrouve enfermé dans une cage.

—Jiminy! pleurniche Pinocchio. Je veux sortir!

—Arrête de pleurer! Je vais t'aider.

C'est alors que la Fée Bleue apparaît et demande:

—Pinocchio, pourquoi n'es-tu pas allé à l'école?

—J'étais en route, raconte le petit garçon embarrassé, et...
j'ai rencontré un monstre avec de gros yeux verts.
Le mensonge est si énorme que le nez du pantin se met
à grandir, grandir... Et plus le petit pantin raconte
ses mensonges, plus son nez s'allonge...

—J'ai bien retenu la leçon! soupire Pinocchio. Et je dirai
toujours la vérité! promet-il à la Fée Bleue.
D'un coup de baguette magique, le nez du petit pantin
retrouve une taille normale et la cage s'ouvre.

—Direction, la maison! ordonne Jiminy. En route!
Mais Pinocchio s'enfuit si vite qu'il n'arrive pas à le suivre.

 Non loin de là, dans une taverne, Grand Coquin et Gédéon discutent avec un gros homme qui leur propose un marché diabolique :

—Je récupère tous les garçons du quartier et je les conduis sur l'Île Enchantée. Bien sûr, ils n'en reviennent jamais! ajoute-t-il en riant. Si vous m'en ramenez, je vous promets une belle récompense.

Les deux brigands partent aussitôt à la recherche de gamins, quand ils croisent Pinocchio qui rentre chez lui.

—Que dirais-tu de visiter un endroit fantastique où bonbons, gâteaux et jeux de toutes sortes t'attendent? Confiant, le petit pantin accepte sans hésiter et repart avec eux. À bout de souffle, Jiminy finit par rejoindre Pinocchio au moment où il grimpe dans une diligence chargée d'enfants, impatients de découvrir cette Île Enchantée!

À peine débarqués, les enfants contemplent avec joie un gigantesque parc d'attractions.

—Amusez-vous, mes petits amis ! leur lance le cocher d'un air rusé. Faites ce qui vous passe par la tête, personne ne vous grondera. Ici, tout est permis : jouer, manger, boire. Tout est gratuit ! Profitez-en !

Comme tous les autres enfants, Pinocchio est loin de se douter du sort que ce terrible personnage lui réserve.

Et pendant que tous s'amusent et se gavent de sucreries, le cocher ordonne que l'on verrouille les portes.

De son côté, Jiminy inspecte l'endroit. Il découvre avec horreur qu'après quelques heures passées sur cette île, les garçons sont devenus des ânes et qu'ils sont embarqués pour aller travailler dans les mines !

—Il faut absolument que je retrouve Pinocchio !

 Jiminy part à la recherche de Pinocchio. Ce n'est qu'après un long moment qu'il reconnaît sa voix dans une salle de billard.

—Tu crois que c'est en menant cette vie que tu vas devenir un vrai petit garçon! gronde-t-il.

Mais il est déjà trop tard!

—Tu as vu tes oreilles! se moque le compagnon du pantin sans se douter que lui aussi a déjà subi le même sort.

—Que m'arrive-t-il? se lamente Pinocchio.

—Viens avec moi! ordonne Jiminy. Il faut quitter cet endroit avant que tu ne sois entièrement transformé en âne.

—J'ai peur! sanglote Pinocchio, en suivant son ami.

—Ah, non! Ce n'est pas le moment de pleurer! gronde Jiminy. On va sauter de la falaise et atteindre le rivage. Ton père doit te chercher partout!

Les deux amis arrivent enfin devant la maison de Geppetto.

Ils frappent à la porte, mais ils n'obtiennent pas de réponse.

—Où peut-il être ? se demande Pinocchio, inquiet.
Découragé, il s'assoit sur les marches du perron.
Quelques minutes plus tard, une mouette plane dans les airs et dépose une lettre à ses pieds.
Jiminy ajuste ses lunettes et commence à lire.
—C'est un message de ton père ! Il écrit qu'il est parti à ta recherche et que… Oh, c'est affreux ! Il a été avalé par Monstro la baleine qui vit au fond de l'océan. Heureusement, il n'est pas blessé !
—Tout cela est arrivé par ma faute ! déclare Pinocchio. Il faut que je l'aide !

N'écoutant que son courage, Pinocchio n'hésite pas à plonger au fond de l'océan. Et pour pouvoir rester au fond de l'eau, il a attaché un gros pavé à sa queue d'âne. Jiminy, malgré sa peur, le rejoint.

—Savez-vous où se trouve Monstro la baleine ? demande Pinocchio à tous les poissons qu'il rencontre.

À peine a-t-il prononcé ce nom que les poissons, terrorisés, les mettent en garde :

— N'y allez pas, elle va vous dévorer !

—Monstro est la plus effrayante des baleines !

Jiminy tremble d'inquiétude mais le petit pantin, bien décidé à sauver son père, poursuit ses recherches.

—Elle est là ! s'écrie-t-il soudain en voyant le monstre.

—Comment allons-nous faire ? interroge Jiminy.

—On va se laisser avaler pour rejoindre papa.

 Mais pour l'instant, Monstro fait la sieste, au grand
désespoir de Geppetto qui se morfond dans
une épave avalée par le monstre.

Il s'est fabriqué une ligne et tente, depuis des heures,
de pêcher un poisson.

—Si elle continue de dormir, se lamente le vieil homme,
nous allons mourir de faim, mon pauvre Figaro ! Pas un seul
poisson en vue.

Mais voilà que Monstro la baleine ouvre un œil et se met
à bâiller ! Elle ouvre son immense bouche et un banc
de poissons est violemment aspiré.

Pinocchio est, lui aussi, emporté dans le tourbillon
et se retrouve dans le ventre du monstre.

Geppetto sent enfin qu'un poisson mord à l'hameçon.

—Nous sommes sauvés ! se réjouit-il. J'en tiens un gros !

 Geppetto tire d'un coup sec sur sa ligne improvisée et voit atterrir, sur le pont du bateau, Pinocchio accroché au poisson qu'il vient de pêcher.

—Mon petit! s'exclame-t-il en le prenant dans ses bras. Que c'est bon de te revoir!

Maintenant que Pinocchio a retrouvé son père, il faut regagner la maison. Mais comment?

—J'ai une idée! dit tout à coup Pinocchio. Nous allons construire un radeau! Ensuite nous ferons un feu avec le bois qui reste. La fumée fera tousser la baleine et nous en profiterons pour sortir.

Le plan de Pinocchio fonctionne à merveille.

La baleine renifle, tousse et commence à s'agiter dans tous les sens. Enfin, dans un éternuement tonitruant, elle expédie la petite troupe dans les airs.

Folle de rage, la baleine plonge et replonge dans l'eau, provoquant un véritable raz de marée.

Le radeau se brise en mille morceaux et les passagers sont projetés dans la mer bouillonnante. Redoublant de colère, Monstro se lance droit sur les naufragés. Geppetto est à bout de force, il s'enfonce dans les flots.

—Tiens bon, papa, crie Pinocchio en le tirant par son gilet. Il y a une crique, là-bas, derrière les rochers.

—Le courant est bien trop fort, mon petit ! répond faiblement Geppetto. Ne t'occupe pas de moi, sauve-toi !

Pinocchio refuse d'abandonner son père et nage de plus belle vers la crique. Il est sur le point d'y parvenir quand Monstro fait exploser les rochers d'un terrible coup de tête. Une énorme vague se forme, Geppetto et son fils atterrissent lourdement sur le rivage.

Geppetto est épuisé mais sain et sauf. Cléo, Figaro et Jiminy sont bien là, eux aussi, tous en vie.

—Où est Pinocchio ? s'inquiète Geppetto.

À quelques mètres de lui, les vagues effleurent le petit pantin. Geppetto l'appelle mais n'obtient pas de réponse. En larmes, il s'approche. Il soulève délicatement son fils et l'emporte chez lui.

—Mon enfant, sanglote-t-il en le déposant sur son lit. Tu as donné ta vie pour me sauver…

Le visage enfoui dans ses mains, le pauvre homme ne remarque pas la lueur bleue qui inonde sa chambre.

La Fée Bleue apparaît et s'approche du lit où se trouve le petit pantin sans vie.

D'un coup de baguette magique, elle réalise un nouveau miracle : Pinocchio ouvre les yeux, ses jambes et ses bras s'agitent doucement. Ses oreilles et sa queue d'âne disparaissent.

—Papa ! Regarde ! Je suis devenu un vrai petit garçon !

Le vieil homme lève la tête et n'en croit pas ses yeux. Il prend Pinocchio dans ses bras et le serre tendrement contre lui. Son rêve s'est réalisé.

Pour fêter cet événement, Geppetto joue un air entraînant sur son bandonéon et tout le monde se met à danser, même Figaro.

Jiminy, ému, comprend qu'il a rempli sa mission. Il décide de s'éclipser, prêt à vivre de nouvelles aventures.

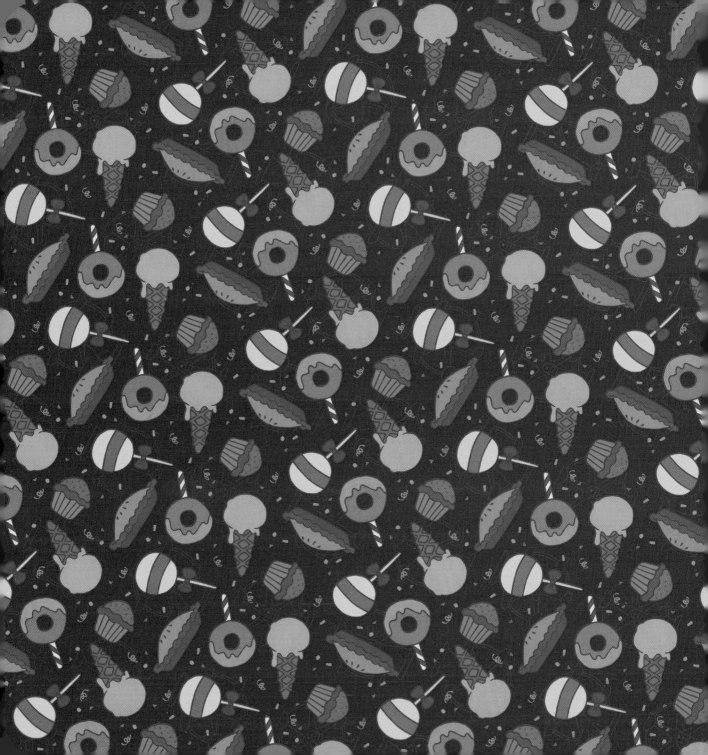